Foghlaí Mara Aisteach!

Do mo thrí fhoghlaí mara: Julia, Camille agus Clara
L. Alloing

Ar an gclúdach cúil tugtar míniú ar na focail
a bhfuil an comhartha * orthu.

www.leabharbreac.com

Foras na Gaeilge

Tugann Foras na Gaeilge tacaíocht airgid do Leabhar Breac

ISBN: 978-0-898332-46-9

Paul Thiès

Louis Alloing

Foghlaí Mara Aisteach!

Caibidil 1

Cosúil le foghlaí mara ar bith eile

Gruaig dhonn atá ar Chleite, súile dubha, srón bheag gheancach, agus is foghlaí mara mór é! Bhuel, foghlaí mara mór go leor, mar tá a athair, an Captaen Plúr, i bhfad níos mó ná é.

Bíonn na foghlaithe mara dána ag goid agus ag troid, agus bíonn na foghlaithe mara deasa ag cuardach órchistí.

Tá athair Chleite an-deas.

Roimhe seo, bhí athair Chleite ina bháicéir. Ach thaitin an taisteal leis. Mar sin, dhíol sé a bhácús, agus cheannaigh sé long ina áit. Thug sé an *Bolg Lán* ar an long agus, ó shin, is foghlaí mara gach duine de mhuintir Phlúir. Is deas an tslí bheatha é.

Ní théann Cleite ar scoil. Bíonn sé ag snámh i gcaitheamh na bliana, agus itheann sé siorc rósta Dé Domhnaigh.

Is ainm cáca atá ar gach páiste tigh Phlúir. Is í Toirtín an deirfiúr is sine. Is é Bairín, an deartháir is sine. Is í Éclair an deirfiúr is óige. Agus is í Rísín an phearóid.

Is ainm cáca freisin atá ar Chleite. I ndáiríre, Caiscín an t-ainm ceart atá air, ach mar go bhfuil sé tanaí tugann gach duine Cleite air.

Is é mian croí Chleite a bheith ina rí ar na canablaigh* — fad is nach n-íosfaidh siad ar dtús é!

'Tá tú róbheag le bheith i do rí. Cuirfidh siad sa phota thú,' a dúirt Éclair agus Bairín, agus iad ag gáire.

Maidir le hÉclair, mhúin sí go leor seafóide do Rísín.

'Tá cloigeann pota ar Chleite!' a dúirt an phearóid arís agus arís eile, agus í ag bualadh a sciathán.

Go feargach, shocraigh Cleite imeacht ó bhaile. Ní thiocfaidh sé ar ais go mbeidh sé ina rí ar na canablaigh, a dúirt sé leis féin. Ach, gabhfaidh sé go hoileán tréigthe ar dtús. Bheadh sé sin níos ciallmhaire.

Nuair a bhíonn a dheartháir agus a dheirfiúracha ag magadh faoi, teastaíonn ó Chleite a thaispeáint dóibh go mbeidh sé ina rí ar na canablaigh....

Caibidil 2

Fainic an Spéirling!

Oíche amháin, nuair a bhí gach duine ina chodladh, chuir Cleite báidín iomartha* an *Bhoilg Láin* chun farraige. Ar dtús, bhí gach rud i gceart. Chuaigh Cleite ag iomramh, agus ghluais an báidín trí na tonnta.

Go tobann, d'ardaigh stoirm ar an bhfarraige. Shéid an ghaoth, réab an toirneach, tháinig tinneas farraige ar na héisc féin!

Bhí aiféala ar Chleite gur éalaigh sé ó bhaile. Bhí aiféala níos mó air nuair a clúdaíodh le heangach é. Crochadh aníos as an bhfarraige é agus leagadh anuas ar bord loinge é.

Chrom fear féasógach fionn os cionn Chleite, agus bhéic sé air:

'Cé thú féin?'

'Is mise... is mise...' a dúirt Cleite go stadach*.

'Éist! Is mise Féasóg Fhionn na Farraige, agus is í an *Spéirling* mo longsa.

Anseo, is mise atá i gceannas, an dtuigeann tú?'

'T-t-tuigim,' a d'fhreagair Cleite go stadach, agus a chuid fiacla ag bualadh ar a chéile le faitíos.

D'imigh Féasóg Fhionn leis go cantalach, agus tháinig buachaill beag chomh fada le Cleite. Bhí súile glasa air, craiceann buí, agus gruaig fhada fhionn mar a bhí ar Fhéasóg Fhionn. Bhí a dhá chos nocht agus salach, bhí fáinne óir ar a leathchluas aige, agus fiacail siorca crochta faoina mhuineál. Shíl Cleite go raibh cuma iontach air!

'Dia duit,' a dúirt an buachaill go gealgháireach. 'Is mise Crúca Beag, giolla loinge* na *Spéirlinge*. Cé thusa?'

'Is mise Cleite, agus is ón m*Bolg Lán* a tháinig mé,' a dúirt an mairnéalach beag báite*.

'Long an Chaptaein Plúr?' a d'fhiafraigh Crúca Beag de go himníoch. 'Sea, agus is é an Captaen Plúr mo dheaide,' a dúirt Cleite.

'Ó, a dhiabhail! Ná habair é sin le Féasóg Fhionn. Sin é mo dheaide, agus tá an ghráin aige ar do dheaide-se.'

'Cén fáth é sin?' a d'fhiafraigh Cleite de.

'Tá mo dheaide an-chantalach. Ní ligeann sé do dhuine ar bith teacht ar bord. Mar sin, níl cairde ar bith agam,' a mhínigh Crúca Beag dó go brónach. Bhreathnaigh Crúca Beag go dóchasach ar Chleite:

'An mbeidh tusa i do chara agam?'

'Beidh, cinnte,' a dúirt Cleite go sásta.

AN SPÉIRLING

Thug an foghlaí mara dána, Feasóg Fhionn, Cleite as an bhfarraige, ach tá cara nua anois aige....

Caibidil 3

Ar oileán tréigthe

Ar feadh cúpla lá, d'oibrigh Cleite bocht go crua d'Fhéasóg Fhionn. B'éigean dó deic na loinge a sciúradh, na fataí a scamhadh, na soithí a ghlanadh, na héadaí a ní, agus snas a chur ar bhróga an Chaptaein. Ach níorbh fhéidir Féasóg Fhionn a shásamh. Chaith sé an lá ar fad ag béiceadh air!

Chabhraigh Crúca Beag go mór le Cleite, mar ba chairde iad. Chuir sé in aithne é do Fhlic-Flac, a pheata deilfe. Tá Flic-Flac an-lách. Léimeann sé in airde sna tonnta agus liathróid ar a smut aige.

Gach tráthnóna, bhíodh na gasúir ag comhrá. D'inis Cleite dá chara faoina mhuintir. Ní raibh deartháir ná deirfiúr ag Crúca Beag, agus chuir sé go leor ceisteanna ar Chleite, faoi Éclair go háirithe.

Maidin amháin, thug faoileán teachtaireacht chucu: Tugann an foghlaí mara cáiliúil Féasóg Dhubh cuireadh dá chairde, Féasóg Chatach chantalach,

Féasóg Bhearrtha bhrúidiúil, Féasóg Ghliobach ghránna, agus Féasóg Fhionn fheargach, chuig cóisir mhór ar Oileán na Toirtíse.

D'fhág Féasóg Fhionn an *Spéirling* faoi Chrúca Beag, agus d'imigh sé leis sa bháidín iomartha, lena chuid bagáiste ar fad.

'Hurá! Táimid saor! Beidh an-spraoi againn!' a bhéic Cleite agus Crúca Beag as

béal a chéile agus iad ag pocléimneach le háthas.

An lá dár gcionn, d'ith na gasúir an oiread den siorc rósta gur thit siad ina gcodladh tar éis an bhéile. Thosaigh an *Spéirling* ag imeacht ó chúrsa, go mall ar dtús, ansin níos sciobtha is níos sciobtha.

An tráthnóna sin baineadh croitheadh as an long. Bhí an *Spéirling* curtha i dtír ar oileán tréigthe!

Ina n-aonar, ar bhord na Spéirlinge, tagann Cleite agus Crúca Beag ar oileán tréigthe....

Caibidil 4

Banphrionsa na gcanablach

Ach ní raibh an t-oileán i ndáiríre tréigthe. Bhí cailín beag ar an oileán, pearóid mhór, agus pota an-mhór!

Cailín beag álainn a bhí inti. Bhí gruaig fhada dhubh uirthi, súile soilseacha, agus muince sliogán faoina muineál. Bhí sí ag faire ar an bpota mór a raibh gal ag éirí as.

Maidir leis an bpearóid a bhí suite in airde sa chrann cnó cócó, tráthúil go leor, tugadh Cócó mar ainm uirthi. Bheannaigh sí do na gasúir le snapadh dá gob.

'Muise, nach bhféadfadh sibh a bheith cúramach le m'oileán!' a bhéic an cailín orthu.

'Níor bhuaileamar faoi d'aon turas! Agus labhair go múinte liom! Is mise Cleite Plúr, agus beidh mé i mo rí ar na canablaigh amach anseo,' a dúirt Cleite go mórtasach.

'An mbeidh anois? Bhuel, Péarla is ainm domsa, agus táim i mo bhanphrionsa ar na canablaigh cheana féin. Agus má choinníonn tú ort mar sin caithfidh mé isteach sa phota thú!' a dúirt an cailín.

Bhí ríméad ar Chleite gur casadh fíor-chanablach air.

Mhínigh Péarla do na gasúir gur rí an-tábhachtach a bhí ina hathair. Bhí sé i gceannas ar chanablaigh an cheantair ar fad.

'Mar sin, cén fáth a bhfuil tú anseo?' a d'fhiafraigh Cleite di.

'Tá mo dheaide ina chónaí ar oileán eile nach bhfuil i bhfad as seo. Tiocfaidh sé do m'iarraidh i gceann seachtaine. Tá pionós gearrtha orm mar nár ith mé m'anraith éisc,' a dúirt Péarla. 'Deir mo dheaide nár chóir do chanablaigh

daoine a ithe níos mó, mar go bhfuil an t-anraith níos folláine.'

'Mar sin, cén fáth a bhfuil pota mór agat?' a d'fhiafraigh Crúca Beag di.

'Chun mé féin a fholcadh. Deir Mama go bhfuil folcadh te an-mhaith don tsláinte,' a mhínigh Péarla dó.

Chuir Péarla fáilte roimh Chleite

agus Chrúca Beag ar a hoileán, fad is a bhí an *Spéirling* á deisiú. Chuaigh an triúr ag spraoi ar an trá, agus ag tumadh sa phota mór. Thug siad cuireadh isteach, fiú, do Fhlic-Flac.

D'eitil Cócó os a gcionn ag glaoch:

'Tá siad bruite! Tá siad rósta! Tá siad cócaráilte!'

Ach ní raibh ann ach cur i gcéill.

Rinne an triúr campa dóibh féin. San oíche, las siad tine, agus bhreathnaigh siad ar na réaltaí. Bhí sé go hálainn. Go deimhin, bhí sé rómánsach.

Shuigh Cleite in aice le Péarla agus rug sé greim ar a lámh.

Bhí beagán éada ar Chrúca Beag. D'fhiafraigh sé go minic de Chleite, an raibh a dheirfiúr Éclair chomh dathúil le Péarla.

Faoi cheann seachtaine, bhí an *Spéirling* deisithe, sa deireadh thiar. D'oibrigh na gasúir go crua. Shocraigh siad an t-oileán a fhágáil sula dtiocfadh athair Phéarla. Ní bheadh a fhios agat....

D'fhág siad slán ag a chéile. Agus deora ina gcuid súl, gheall Cleite agus Péarla go gcasfaidís ar a chéile arís. Bhí Crúca Beag ag snagaireacht go ciúin. Bhí cuma bhrónach ar Fhlic-Flac agus ar Chócó féin.

Tar éis seachtain iontach a chaitheamh le banphrionsa na gcanablach, caithfidh Cleite teacht ar a mhuintir arís....

Caibidil 5

Deireadh an aistir

Sheol an *Spéirling* le cóir ghaoithe. Maidin amháin chuala na gasúir an gháir:

'Hóra, a Chleite! Breathnaigí!'

'Sin í Rísín agus an *Bolg Lán,*' a dúirt Cleite go sásta.

Nóiméad ina dhiaidh sin bhí Cleite ar an *mBolg Lán* ag pógadh gach duine dá mhuintir, a bhí ag cuardach na farraige ar a thóir.

Chuir Cleite a chara nua Crúca Beag in aithne dóibh. Shíl muintir

Phlúir gur giolla loinge deas dea-bhéasach a bhí ann, in ainneoin an fáinne óir agus an fhiacail siorca a chaitheadh sé.

Nach é atá dathúil, a dúirt Éclair léi féin.

Ó mo léan, a dúirt Cleite leis féin. Ná habair go bhfuil an bheirt seo ag titim i ngrá!

Bhí cóisir ag muintir Phlúir. Rinne an Captaen Plúr cáca mór millteach seacláide, agus chuaigh na páistí ag damhsa ar an deic. Roinn Flic-Flac agus Rísín bosca brioscaí tirime ar a chéile. Go ndéana sé sláinte dóibh!

Faraor! B'éigean do Chrúca Beag imeacht. Bheadh imní ar a athair. Agus cantal! Chaithfeadh sé an *Spéirling* a sheoladh ina aonar chomh fada le hOileán na Toirtíse. Bheadh sé sin deacair, ach thaispeánfadh sé d'Fhéasóg Fhionn fheargach go raibh sé in ann é a dhéanamh. Bheadh a athair bródúil as.

D'fhág Crúca Beag slán ag Cleite agus ag muintir Phlúir.

Gheall sé go dtiocfadh sé ar ais chomh luath agus a d'fhéadfadh sé.

D'fháisc sé féin agus Éclair a chéile go grámhar. Bhreathnaigh Cleite orthu agus chuimhnigh sé ar Phéarla.

An-aistear a bhí ann!

❶ An tÚdar

I Strasbourg i 1958 a rugadh **Paul Thiès**. Agus ní faoi chabáiste a tháinig sé ar an saol, ach faoi chrann seoil. Taistealaí mór é Paul Thiès. Tá na seacht bhfarraige agus na cúig mhuir seolta aige. Tá taisteal déanta aige ar ghaileon Airgintíneach, ar charbhal Spáinneach, ar shiunc Seapáineach, ar shiaganda Veiniséalach, agus ar ghaileon órga Meicsiceach — gan trácht ar bháidíní aeraíochta na Seine i bPáras, ná ar thrálaeir na Briotáine. Saineolaí é ar fhoghlaithe mara, ar mhairnéalaigh, ar bhráithreachas an chósta, agus go deimhin ar fhánaithe de gach uile chineál. Ach is é Cleite is ansa leis.
Mar sin, bon voyage agus gach uile dhuine ar deic!

❷ An tEalaíontóir

Louis Alloing

"Bhí an fharraige os comhair mo dhá shúl i gcaitheamh mo shaoil. I Rabat i Maracó ó 1955, agus ansin i Marseille na Fraince, nuair a bhreathnaigh mé amach ar an Meánmhuir chuimhneoinn ar oileáin bheaga, ar thonnta beaga, ar fhoghlaithe mara beaga — agus ar bholadh breá an tsáile. Díreach cosúil leis an Muir Chairib, agus le farraigí Chleite agus Phéarla.

Anois i bPáras, scoite amach ó sholas na Meánmhara agus ó dhromchla gorm na farraige, bím ag tarraingt pictiúr ar pháipéar. Ligim do thonnta na samhlaíochta mé a thabhairt ar lorg Chleite is a chomrádaithe. Níl sé éasca, bíonn siad de shíor ag gluaiseacht! Obair mhór iad a leanúint, agus mé i ngreim i mo pheann mar a bheadh Cleite i ngreim ina chlaíomh. Eachtra mhór le foghlaithe mara beaga!"

Clár